CU00958343

Y LLO GWYN

Y Llo Gwyn

Golygydd Elin Edwards

Gomer

GOMER

Y Llo Gwyn

Hilma Lloyd Edwards

Lluniau gan
Graham Howells

Argraffiad cyntaf: 2003

ISBN 1 84323 259 6

Hawlfraint y testun: ⓗ Hilma Lloyd Edwards, 2003 ©
Hawlfraint y lluniau: ⓗ Graham Howells, 2003 ©

Mae Hilma Lloyd Edwards wedi datgan ei hawl dan
Ddeddf Hawlfraint, Dyluniadau a Phatentau 1988
i gael ei chydnabod fel awdur y llyfr hwn.

Cedwir pob hawl. Ni chaniateir atgynhyrchu unrhyw ran o'r cyhoeddiad hwn, na'i
gadw mewn cyfundrefn adferadwy, na'i drosglwyddo mewn unrhyw ddull na
thrwy unrhyw gyfrwng, electronig, electrostatig, tâp magnetig, mecanyddol,
ffotogopïo, recordio, nac fel arall, heb ganiatâd ymlaen llaw gan y cyhoeddwyr,
Gwasg Gomer, Llandysul, Ceredigion.

Argraffwyd gan
Wasg Gomer, Llandysul, Ceredigion SA44 4QL

1

Roedd bryngaer Dinas Dinorwig yn llawn cyffro, a phawb, o'r hynaf i'r ieuengaf, yn mwynhau'r dathliadau.

"Boed bendith y Duwiau ar Arianwen a Mordaf!" gwaeddodd y pennaeth, Cuhelyn, a'r cwpan gwin yn ei law yn gorlifo â medd.

"Bendith y duwiau!" rhuodd y dewrion, gan chwifio'u gwaywffyn yn uchel i'r awyr.

Roedd yn ddiwrnod priodas merch y pennaeth – digwyddiad pwysig iawn, y bu edrych ymlaen ato ers misoedd lawer yn Ninas Dinorwig.

Safai Arianwen a Mordaf law yn llaw, ac yn gylch o'u cwmpas roedd trigolion y fryngaer.

Gwisgai'r briodferch wisg o ddeunydd ysgafn lliw hufen, a thros ei hysgwyddau roedd clogyn o frithwe lliwgar. Ar ei chlogyn, gwisgai un o drysorau'r llwyth. Tlws aur oedd hwn, o ddyddiau'r cyndeidiau pell, gyda phatrwm cywrain o gŵn ac adar yn ei addurno. Byddai'n cael ei drosglwyddo o genhedlaeth i genhedlaeth, a braint Arianwen oedd cael ei wisgo heddiw, ar ddydd pwysicaf ei bywyd.

"O! Mae hi'n hardd. Mae hi fel breuddwyd!" sibrydodd Esyllt, un o blant y pentre, wrth ei brawd Mael. Yn naw mlwydd oed, roedd Esyllt yn cymryd diddordeb mawr yn y dathliadau. Roedd hi wedi cael helpu'r merched gyda'r paratoadau yn nhŷ'r pennaeth, ac yn ystyried ei hun yn bwysig iawn oherwydd hynny. Bu'n casglu blodau ar y llethrau a'r bryniau o gwmpas y gaer, gan helpu'r merched i'w plethu'n ddwy goron o ddail a blodau i'r briodferch a'r priodfab eu gwisgo. Ond dywedai llawer un mai busnesu a siarad gormod oedd ei phrif gyfraniad!

"O! Tydi Mordaf yn olygus," meddai wedyn. "Mae o'n edrych fel arwr o'i gorun i'w draed."

Roedd hynny'n wir bob gair. Yn ei diwnig lliwgar, a chlogyn o groen anifail dros ei ysgwyddau, edrychai'n union fel un o arwyr yr hen chwedlau.

"Wyt ti'n meddwl y caf i briodi rhyfelwr golygus fel Mordaf ryw ddiwrnod?" gofynnodd Esyllt i'w brawd. "Mi faswn i wrth fy modd!"

Chwarddodd Mael. "Ddim nes y byddi di wedi tyfu i fyny dipyn, a dysgu peidio prepian yn ddibaid!"

Wrth ochr y ddau safai Arawn, ffrind gorau Mael, a mab ieuengaf y pennaeth. Rhoddodd Mael bwniad chwareus iddo. "Wn i ddim, chwaith. Ella bydd Arawn 'ma'n ddigon gwirion i dy briodi di. Os aiff o'n rhyfelwr, wrth gwrs!"

Yn ddeuddeg oed erbyn hyn, roedd yn bryd i Arawn ddechrau cael ei hyfforddi'n rhyfelwr eleni, fel y gallai ymuno â dewrion ei dad pan ddeuai'r amser. Dyna fyddai'r drefn, fel arfer, ond gwyddai'r pentrefwyr bod hynny'n annhebygol yn achos y mab ieuengaf.

Yn y caeau gyda'r anifeiliaid y mynnai Arawn fod, bob cyfle a gâi. Roedd wrth ei fodd gyda'r gwartheg a'r geifr – a hyd yn oed yr ieir a'r gwyddau – ac roedd rhyw ddealltwriaeth ryfedd rhyngddo â nhw. Dywedai rhai fod doniau cudd y duwiau wedi cyffwrdd ag Arawn. A chadarnhawyd y gred honno gyda dyfodiad y llo gwyn.

Roedd genedigaeth llo a hwnnw'n glaerwyn yn ddigwyddiad anarferol iawn. Credai'r llwyth ei fod yn sanctaidd i'r duwiau, a bod ei ddyfodiad yn arwydd o lwc dda iddyn nhw fel pobl.

Onid oedd priodas Arianwen a Mordaf yn arwydd o'r lwc dda honno? Mordaf oedd mab hynaf Talargan, pennaeth bryngaer bwerus Tre'r Ceiri. Byddai cael uniad mor agos rhwng y ddwy gaer o fudd mawr i Ddinas Dinorwig. Byddai gelynion yn meddwl ddwywaith cyn ymosod arni o hyn ymlaen. Doedd ryfedd yn y byd fod pawb mewn cystal hwyliau!

"Nawdd y Fam Ddaear i Arianwen a Mordaf!" llafarganodd Dyfnwal y derwydd. Ef oedd yn arwain y ddefod, yn ôl traddodiad. Roedd ei wallt a'i farf wen yn sgleinio fel y lleuad, a'i wyneb main fel darn o bren wedi'i naddu.

"Nawdd y Fam Ddaear!" gwaeddodd y dewrion eto wrth i Dyfnwal dywallt dŵr gloyw o ffynnon sanctaidd y llwyth ar dalcennau'r ddau.

Wrth i'r haul ddechrau suddo dros y gorwel, roedd uchafbwynt y dathlu wedi dod. Roedd sŵn y drymiau'n curo i'w glywed o bell, ac arogl cig rhost yn hofran ar yr awel. Byddai hon yn wledd heb ei hail, gyda'r rhialtwch yn mynd ymlaen hyd doriad gwawr.

Roedd y goelcerth fawr yng nghanol y fryngaer yn clecian ers tro, a'r fflamau'n llamu'n uchel i'r awyr. Roedd pawb am filltiroedd o amgylch yn gallu gweld bod trigolion Dinas Dinorwig yn mwynhau eu hunain.

Braint Cuhelyn oedd torri'r darn cyntaf o gig, gan wahodd pawb i ymuno ag ef.

"Gyfeillion, dewch. Mae hon yn noson fawr," meddai. Torrodd gwlffyn anferth o'r cig a'i chwifio yn yr awyr. "Ymlaen â'r wledd!"

Wedi i Mael dorri cig iddi â'i gyllell, medrai Esyllt ei rwygo oddi ar yr asgwrn â'i dannedd bach, gystal â neb. Ychydig o gyfle a gâi'r plant i wledda ar gig rhost, ac roedden nhw'n gwneud y gorau ohoni. Wrth i'r gwin a'r medd lifo i'r cwpanau, dechreuodd rhai o'r pentrefwyr ddawnsio, ac eraill i ganu a chellwair â'i gilydd. Roedd y fryngaer gyfan fel enfys o liwiau.

Er bod pawb arall yn rhoi'u holl sylw i'r rhialtwch, roedd meddwl Arawn yn mynnu crwydro'n ôl at yr anifeiliaid. "Wela i chi wedyn!" meddai wrth ei ddau ffrind, a llithro drwy'r

9

cysgodion tua'r gysgodfan lle cedwid y llo gwyn.

Fyddai o fyth yn anghofio'r noson loer-olau pan aned yr anifail rhyfeddol. Arawn oedd y cyntaf i'w weld, a rhedodd a'i wynt yn ei ddwrn i ddweud wrth ei dad beth oedd wedi digwydd. "Dewch, dewch i weld!" gwaeddodd, gan dynnu Cuhelyn oddi wrth ei bryd hwyrol. Ond roedd y pennaeth a gwŷr pwysig y llwyth ar ben eu digon pan welsant y rheswm dros y cynnwrf. "Llo o liw'r lleuad! Rhodd gan y duwiau!" sibrydodd Dyfnwal y derwydd. Cyn hir roedd y pentrefwyr i gyd yn rhuthro am y cyntaf i gael gweld y llo.

Roedden nhw'n ei drysori'n fawr. Ond Arawn yn unig o blith trigolion y fryngaer a gâi fynd yn agos ato. Ers ei ddyddiau cynnar, bu'r llo yn neidio a strancio – arwydd sicr o bŵer y duwiau, meddai pawb. Ond byddai mor hoffus ag oen bach pan welai'r bachgen ac yn barod i fwyta o'i law.

Roedd Arawn yn ofni y byddai holl sŵn y wledd briodas a'r drymiau yn dychryn y llo gwyn, ac roedd eisiau mynd ato. Wrth nesáu at gysgodfan yr anifeiliaid, gallai glywed sŵn brefu a gwyddai eu bod wedi cynhyrfu. Ond roedden nhw'n ddiogel dan do, ac ni chymerai fawr o dro iddo'u tawelu.

Dechreuodd chwibanu'n isel, fel y byddai'n ei wneud yn y caeau, ond diflannodd ei anadl pan welodd yr olygfa o'i flaen.

Doedd dim golwg o'r llo gwyn – roedd o wedi mynd!

2

Allai Arawn ddim credu ei lygaid! Ond doedd dim dwywaith amdani – roedd y llo gwyn wedi mynd. Doedd dim golwg ohono yn y gysgodfan, ac roedd y gwartheg eraill wedi cyffroi i gyd.

Aeth Arawn i chwilio amdano yn y cytiau eraill, ond heb lwyddiant. Roedd fel pe bai'r llo wedi diflannu oddi ar wyneb y ddaear. Wyddai Arawn ddim beth i'w wneud.

Rhedodd ar ras wyllt yn ôl i ganol y dathliadau. Gwthiodd ei ffordd drwy'r môr o wynebau heb weld yr un ohonyn nhw. Roedd hyn yn beth difrifol iawn. Roedd yn rhaid iddo ddweud wrth Cuhelyn cyn gynted ag y medrai. Ond allai o ddim tarfu ar hwyl noson fel hon! Ddim i gyhoeddi'r fath newyddion drwg. Byddai'n siŵr o gael ei daflu ar y goelcerth am wneud y fath beth!

Yn ei ruthr, baglodd ar draws un o'r rhyfelwyr, gan wthio'r llestr gwin o'i law.

"Hei, ara deg! Be sy arnat ti, hogyn?" gwaeddodd Einion, pen-rhyfelwr Dinas Dinorwig. "Mi faswn i'n taeru bod cŵn Annwn ar dy ôl di!"

"O! Einion, mae rhywbeth ofnadwy wedi digwydd!" parablodd Arawn, allan o wynt. "Mae'r llo gwyn ar goll!"

"Beth?"

"Does dim golwg ohono fo hefo'r gwartheg."

"Wyt ti'n siŵr?"

"Ydw!"

Mewn eiliad, cydiodd Einion mewn ffagl bren a'i chynnau ar y goelcerth. Yna, galwodd ar ddau o'r rhyfelwyr eraill ato.

"All o ddim a bod wedi mynd ymhell – i lawr i'r caeau isaf falla. Paid â phoeni, Arawn bach, mi fyddwn ni'n siŵr o ddod o hyd iddo cyn iddo grwydro'n rhy bell."

Yna, cychwynnodd y fintai – ac Arawn gyda nhw – allan drwy brif borth y fryngaer i lawr yr allt.

Doedd dim achos i ddweud wrth Cuhelyn ar hyn o bryd, meddyliodd Einion. Mae'n siŵr mai'r sŵn yn y gaer oedd wedi dychryn yr anifail prin, gan beri iddo redeg yn wyllt, o bosib! Dim ond iddyn nhw ei gael yn ôl mewn byr o dro, fyddai dim angen i'r pennaeth glywed dim am y peth. A gorau oll am hynny. Byddai Cuhelyn yn wyllt gacwn pe byddai unrhyw beth yn tarfu ar lwyddiant y wledd.

Aethant i chwilio hyd ffiniau'r llethrau a'r caeau yn union islaw'r gaer, gydag Einion ac Arawn yn mynd i un cyfeiriad, a'r ddau ryfelwr i'r cyfeiriad arall.

Ond, wrth gyfarfod yn ôl ger y prif borth, wedi chwilio dyfal, doedd neb wedi gweld golwg o'r llo. Roedden nhw'n wirioneddol bryderus erbyn hyn.

Rhyfedd, meddyliodd Einion wrth gerdded drwy'r porth, nad oedd yr un gwyliwr ar ddyletswydd yno. Ond wedi'r cyfan, roedd y wledd briodas yn destun dathlu i bob copa walltog yn y fryngaer. A pheth arall, i beth oedd angen gwylwyr heno, pan oedd y lle'n ferw o ryfelwyr, nid yn unig o'r Ddinas ond o Dre'r Ceiri hefyd? Fyddai'r un gelyn yn mentro i fyny'r llwybr heno, roedd hynny'n ddigon siŵr.

"Diolch, fechgyn," meddai Einion wrth y ddau ryfelwr, a'u gyrru'n ôl i fwynhau'r wledd. Doedd dim dewis bellach. Byddai'n rhaid dweud wrth y pennaeth am ddiflaniad y llo gwyn.

Wrth gerdded heibio cefnau'r tai crwn ar gyrion y fryngaer, oedodd Einion i archwilio cysgodfan yr anifeiliaid. Doedd dim arwydd bod unrhyw beth o'i le yno. Ond wrth i Einion droi a chychwyn cerdded yn ei flaen, tynnwyd ei sylw at rywbeth drwy gil ei lygaid. Aeth yn ôl at gefn y gysgodfan a chyffwrdd â'r mur gwiail.

"Edrych!" meddai wrth Arawn, oedd yn llygaid i gyd. "Edrych yn ofalus iawn. Weli di'r hollt yma?"

Rhoddodd blwc sydyn i'r gwiail, a daeth darn hirsgwar ohono'n rhydd yn ei law. "Mae 'na gleddyf wedi bod ar waith fan hyn, ac os nad ydw i'n camgymryd, cleddyf gelyn oedd o hefyd!"

Roedd Arawn wedi dychryn gormod i ddweud 'run gair. Roedd ei galon yn curo fel drymiau'r wledd. Un peth oedd gwybod fod y llo rhyfeddol ar goll. Peth arall yn hollol oedd gwybod ei fod wedi'i ddwyn.

Er bod yr yfed a'r dawnsio ar ei anterth, wedi gair neu ddau gan Einion yng nghlust y Pennaeth, daeth y wledd i ben.

Cyn i'r goelcerth fawr yng nghanol y fryngaer oeri, roedd Cuhelyn a'i gynghorwyr yn cynnal cynhadledd. Yn nhŷ'r pennaeth y cynhelid y cyfarfod, gyda Dyfnwal y derwydd a chynrych-iolaeth o blith y rhyfelwyr a hynafgwyr y pentref yn bresennol. Roedd Mordaf a rhai o ryfelwyr

Tre'r Ceiri yn bresennol hefyd y tro hwn, gan fod ar Cuhelyn angen pob cymorth ar adeg fel hyn.

Cytunai pob un bod colli'r llo gwyn yn ergyd enfawr i'r llwyth. Ac yn arbennig felly gan fod y lladron wedi bod mor hyf a tharo ar yr union noson pan oedd mwy o ryfelwyr o fewn ffiniau'r fryngaer nag a fu erioed.

"Mae'r peth yn amhosibl!" datganai rhai. "Fe fyddai *rhywun* wedi gweld *rhywbeth*, siawns!"

"Beth am natur wyllt y llo?" holodd un o'r hynafgwyr. "Sut y gallai neb fod wedi'i ddenu ymaith?" Aeth rhai, a Dyfnwal y derwydd yn eu mysg, cyn belled ag awgrymu bod swyngyfaredd yn gysylltiedig â'r peth.

"Dewch, dewch," meddai'r pennaeth o'r diwedd, wedi gwrando ar farn pawb. "Fe wyddon ni i gyd bod ôl llaw un person ar yr anfadwaith hwn!"

Dechreuodd aelodau'r cyfarfod furmur ymysg ei gilydd, a chlywyd yr enw "Broch" ar wefusau sawl un.

"Ie, Broch!" taranodd Cuhelyn, gan boeri ar y llawr. "Mae pawb ohonoch yn gwybod mor daer y bu am law Arianwen, ac i minnau ei wrthod. Ond fe allai Dinas Dinorwig wneud yn well na gwehilion Din Lleu!" gwaeddodd. Ac udodd y gweddill eu cytundeb yn uchel.

"Mi wyddwn i ei fod wedi'i gythruddo, a dyma'r union fath o dric budr y byddai o'n ei chwarae i dalu'n ôl i ni!"

Roedd tymer y rhyfelwyr yn codi. Bu gelyniaeth rhwng Dinas Dinorwig a bryngaer Din Lleu ers cenedlaethau, a gwyddai pawb erbyn hyn mai geiriau teg yn unig fu cynnig Broch i roi terfyn ar yr elyniaeth drwy uno'r ddwy gaer mewn priodas.

17

Dechreuodd un rhyfelwr sibrwd "Rhyfel!" ac aeth y gri fel caseg eira drwy'r cyfarfod, nes bod pawb o'r un farn.

Byddai gwŷr Dinorwig a Thre'r Ceiri yn ymladd fel un i achub y llo gwyn o ddwylo'r gelyn, a chwalu Din Lleu i'r llawr.

3

Tra oedd y Pennaeth a'i gynghorwyr yn ddwfn mewn trafodaeth, a dau ryfelwr yn dal eu gwaywffyn ar draws y drws, roedd gweddill y pentre'n deffro'n raddol. Araf iawn oedd y rhan fwyaf yn agor eu llygaid i'r bore newydd, wedi rhialtwch y noson cynt, ond roedd rhai fel Mael a Cadell eisoes yn brysur.

Cadell oedd crochennydd Dinas Dinorwig, ac roedd yn hyfforddi Mael yn y grefft.

"Tyrd â'r dysglau 'na i fan hyn," meddai wrth Mael, gan bentyrru llestri pridd yn ddestlus yn y drol.

Roedden nhw ar fin cychwyn ar daith i Gaer Saint i werthu a chyfnewid nwyddau, ac roedd Mael wrth ei fodd. Doedd dim yn well ganddo na chael cyfle i hel, i grwydro a gweld y byd! Taenodd groen anifail dros y llestri i'w diogelu, tra tynhaodd Cadell raff am y cyfan i'w cadw'n gadarn yn y drol. Fyddai llestri wedi torri yn dda i ddim i'w gwerthu yn y dre brysur ger Caer y Rhufeiniaid.

Bellach, roedden nhw'n barod i gychwyn. Rhedodd Esyllt at ei brawd – "Paid ag anghofio hwn!" meddai, gan wthio cod o frethyn i'w ddwylo. Ynddo roedd darnau o fara sych iddo'u bwyta ar y daith.

"Fi? Anghofio?" atebodd Mael gan chwerthin. "Byth!" Roedd Esyllt wrth ei bodd yn paratoi pecyn bwyd i'w brawd fynd ar ei deithiau. Gwyddai'n iawn y byddai Mael yn cofio amdani ac yn dod ag anrheg yn ôl iddi. Pethau hyfryd – fel gleiniau lliwgar i'w rhoi ar edau am ei gwddf, neu yn ei gwallt. Tybed beth gâi hi'r tro hwn? Roedd aros yn eiddgar i'w brawd mawr ddod adre bron cystal â chael mynd ar y daith ei hun! Doedd Esyllt erioed wedi bod cyn belled â Chaer Saint – ond breuddwydiai am gael mynd yno ryw ddiwrnod.

Wrth iddyn nhw ffarwelio, sylwodd y ddau ar Arawn oedd yn eistedd yn drist y tu allan i dŷ'r pennaeth, yn aros canlyniad y trafodaethau. Roedd o ar dân eisiau cael mynd allan i chwilio am y llo, rhag ofn ei fod wedi cael ei anafu neu wedi syrthio i ryw ffos ddofn, er y gwyddai yn ei galon mai wedi'i ddwyn roedd o.

"Arawn druan," meddai Mael wrth Esyllt, "wyt ti'n meddwl y medret ti godi'i galon o?"

"Mi drïa' i 'ngorau!" atebodd hithau, ac i ffwrdd â hi.

Rhoddodd Mael naid i gefn y drol, a dechreuodd Cadell arwain y ferlen i lawr y llwybr a arweiniai o ddiogelwch Dinas Dinorwig. Nid eu bod nhw mewn perygl na dim; roedd yr ardal yn un ddigon digyffro a'r brodorion a'r Rhufeiniaid wedi cydfyw yn eitha cyfeillgar ers cenedlaethau. Ond byddai trigolion y pentre bob amser yn teimlo'n ddiamddiffyn, unwaith roedden nhw y tu allan i ffiniau diogel y fryngaer.

Roedd hi'n fore o wanwyn braf, a'r daith o Ddinas Dinorwig i Gaer Saint yn un hamddenol. Roedd y coed yn wledd o wyrddni a'r dail yn cysgodi'r ddau deithiwr. Wedi dod i lawr o'r llethrau i'r tir gwastad, rhoddodd Cadell gyfle i'r ferlen gael seibiant a thorri'i syched yn yr afon gerllaw. Yna eisteddodd Mael ac yntau ar y glaswellt i fwynhau'u pecyn bwyd. Roedd eu pryd yn fwy blasus nag arfer gan fod Cadell wedi bachu ambell asgwrn oedd yn weddill wedi gwledd y noson cynt, a'u pacio yn y drol gyda'r llestri.

"Gobeithio y gwelwn ni nhw heddiw, yntê!" mwmbliodd Cadell gan gnoi darn mawr o gig llosg.

"Y?"

"Wel, Gwawr a'r plant siŵr iawn. Mi fasa'n biti i dy holl waith caled di fynd yn ofer," meddai, gan roi winc chwareus wrth daflu'r asgwrn olaf o'i law. Roedd Cadell yn hoffi tynnu coes Mael. Roedd wedi sylwi arno ers dyddiau yn y gweithdy, pan gâi seibiant, yn naddu darn bach o bren â'i gyllell boced. Ac roedd wedi amau pwy fyddai'n derbyn y campwaith.

Roedd yn syndod i Mael glywed fod rhywun yn gwybod am ei gyfrinach. Yn ystod ei amser hamdden y bu wrthi'n brysur yn naddu'r gath fach bren yn anrheg i Lia. Roedd hithau'n hoff o anifeiliaid o bob math, ac roedd Mael yn gobeithio'n arw y byddai'n hoffi'r gath fach ac yn ei gwisgo am ei gwddf.

"Hei, paid ag edrych mor ddifrifol, 'rhen hogyn. Mi fydd hi wrth ei bodd!" ebe Cadell wrth iddyn nhw ailgychwyn ar eu taith.

Un o ferched Dinas Dinorwig oedd Gwawr, ac yn perthyn yn agos i deulu Cadell. Roedd hi a'i phlant Cai a Lia yn byw yng Nghaer Saint, ac yn siopa'n aml yn y farchnad lle gwerthai Cadell ei nwyddau. Byddai'n edrych allan am stondin y crochennydd bob amser, ac roedd yn braf gweld wynebau cyfarwydd yng nghanol y môr o bobl. Gan fod Mael wedi dod yn gymaint o ffrindiau gyda Cai a Lia, byddai yntau'n edrych ymlaen at gael eu cwmni.

Erbyn i'r drol rowlio'i ffordd tuag at gyrion Caer Saint, roedd y dref yn fwrlwm o fywyd. Pobl yn gwau drwy'i gilydd fel morgrug; milwyr y gaer Rufeinig yn gorymdeithio yn eu lifrai trawiadol; cymaint o gynnwrf a chymaint o sŵn.

Anelodd Cadell a Mael am eu lle arferol ger y porthladd prysur ar lan afon Saint. Deuai cychod a llongau o bell ac agos i'r lan yno. Doedd dim rhyfedd felly bod marsiandïwyr o bob math yn casglu o gwmpas yr harbwr. Roedd popeth i'w gael yno – o emwaith cywrain o gyrion pellaf yr Ymerodraeth Rufeinig, i bysgod ffres o'r môr!

Ond roedd mwy o brysurdeb nag arfer o gwmpas y lle heddiw, gan fod llong Rufeinig newydd fwrw angor yn y porthladd, a milwyr yn ferw o gwmpas y lle.

"Llestri gwael 'di llestri Mael! Llestri gwael 'di llestri Mael!" Roedd Cai yn rhedeg o flaen ei fam a'i chwaer gan weiddi.

"Paid â deud wrth bawb!" atebodd Mael yn llawn hwyl.

"Ia wir, neu chawn ni'r un cwsmer!" ychwanegodd Cadell gyda gwên lydan ar ei wyneb wrth weld y teulu bach yn brasgamu tuag atynt.

"A sut mae busnes heddiw?" holodd Gwawr, gan roi'i basged i lawr wrth ochr y drol.

"Da iawn – na, ardderchog! Ond dyna fo – mae

pobl yn 'nabod crochennydd da pan welan nhw un!"

"Gwych. Mi fedri di sbario dysgl neu ddwy i mi felly, cyn iddyn nhw fynd i gyd. Tydi'r plant 'ma'n eu torri nhw byth a hefyd. Hei, Cai, tyrd o fan'na!"

Roedd y bachgen wedi dringo i ben stondin gerllaw i gael gwell golwg ar y llong Rufeinig – ac roedd y stondinwr yn wyllt gacwn, yn ofni i'w nwyddau fynd i bob cyfeiriad.

"Be ddudis i?"

"Ond Mam . . ."

Wedi dod i weld eu tad yr oedd y plant. Fel pennaeth cant o filwyr yng nghaer Segontium, yr oedd Marcellus y Canwriad yn ddyn pwysig. Gan fod ymwelydd o fri yn glanio yno heddiw, fo a'i filwyr fyddai'n ffurfio gosgordd iddo. Ac nid bob dydd y câi'r fraint o arwain gosgordd i gyrchu Llywodraethwr Prydain.

Wrth glywed utgyrn y milwyr yn seinio, dywedodd Gwawr o'r diwedd, "Iawn – ewch wir! Ffordd acw. A thitha debyg?" meddai wrth Mael, wrth ei weld yn oedi.

"Dos, neu mi golli di dy gyfle!" meddai Cadell wrtho – ac i ffwrdd â'r tri ar wib.

Roedd Gwawr yn falch o gael y cyfle i glywed y

newyddion diweddaraf o Ddinas Dinorwig gan Cadell. Hanes teulu a ffrindiau na fyddai prin yn eu gweld bellach. A hithau wedi priodi milwr Rhufeinig, ac yn byw mewn tŷ cyfforddus ger y gaer, roedd cryn bellter rhyngddi hi a nhw erbyn hyn. Ond er ei bod yn gwisgo clogyn ysgafn o wead da amdani, a thlysau oedd yn arwydd o gyflog hael milwr Rhufeinig, gyda'i gwallt cringoch trwchus, roedd yn ddigon hawdd gweld ei bod yn perthyn i bobl y bryniau.

Gwthiodd y plant eu ffordd heibio'r stondinau i gael gweld yn well. Fel roedd Marcellus yn ei helmed bluog yn gorchymyn i'w wŷr aros yn ddwy res ar ochr y cei, dyma lais cras yn gweiddi o'r dyrfa: "Lleidr! Lleidr! Fan hyn!" Roedd o'n pwyntio at Mael, a ddychrynodd am ei fywyd, gan redeg fel ewig o olwg y dyn.

"Dau ddarn arian, y gwalch!" gwaeddodd hwnnw wedyn. "Daliwch o!"

Wedi gweld ei gyfaill yn rhedeg, dechreuodd Cai redeg hefyd, i'r cyfeiriad arall yn hollol er mwyn creu dryswch. Neidio dros wagenni a stondinau, rhedeg fel y gwynt. Roedden nhw fel pysgod yn llithro o afael pawb.

Ond fel roedd yr ymwelydd pwysig yn camu o'r llong, dyma un o'r dyrfa yn baglu Mael nes peri iddo syrthio fel sach o flawd wrth draed y Llywodraethwr.

Roedd ei galon yn curo fel drwm wrth i Marcellus y Canwriad gamu 'mlaen a'i godi ar ei draed. Os oedd y milwr wedi'i adnabod, wnaeth o ddim dangos hynny.

"A! Y lleidr bach!" meddai'r Llywodraethwr, a'i lais yn ddwfn fel taran. "Gadewch i ni weld. Agorwch ei ddwrn. Ar unwaith!"

Wyddai Mael ddim beth roedd y dyn pwysig yn ei ddweud, ond gwyddai mai amdano fo roedd yn siarad.

Gafaelodd Marcellus yn chwyrn yn ei ddwrn a'i agor. Aeth ton o dawelwch dros y dyrfa wrth i'r Llywodraethwr a'r milwr syllu ar gath fach bren yn llaw agored y bachgen.

Syllu – ac yna chwerthin dros y lle.

4

Wedi'r cyffro wrth yr harbwr, prysurodd Gwawr ymaith i chwilio am ei phlant cyn iddyn nhw fynd ar goll yn y dyrfa, a chrwydro i fannau na ddylen nhw.

Er syndod mawr iddo, roedd Mael wedi dod yn dipyn o arwr o gwmpas yr harbwr, yn enwedig ymhlith y stondinwyr, gan nad oedd neb yn gwybod pwy oedd y dyn â'r llais cras a'i cyhuddodd o fod yn lleidr. Gwyddai pawb erbyn hynny fod y bachgen yn ddieuog – ond doedd Mael ddim yn hapus o bell ffordd.

"Be sy arnat ti, yr hogyn gwirion?" meddai Cadell wrtho. "Mi ddylet ti fod wrth dy fodd!"

"Hy! A phawb yn chwerthin am fy mhen i?"

Roedd Mael yn methu deall y crochennydd. Pa reswm oedd ganddo fo i fod wrth ei fodd wedi'r holl stŵr?

"Wel ia, falle. Ond mi fuodd y Llywodraethwr – milwr pwysica'r wlad cofia, yn ôl Gwawr – yn glên efo ti, yn do, a rhoi *denarius* i ti am gael bai ar gam. Mi faswn i'n deud dy fod ti'n lwcus iawn!"

"Ond mi gadwodd o'r gath fach yn do. Felly mae fy holl waith i wedi mynd yn ofer. 'Sgen i ddim byd i'w roi i Lia rŵan!"

Ar ben hynny, roedd sawl person yn edrych yn ddigon od arno, ac roedd Mael yn siŵr eu bod nhw'n credu ei fod o'n euog.

"Am ddiwrnod ofnadwy. Fedrith petha ddim mynd dim gwaeth!"

"Paid â rwdlian, hogyn. Tyrd i bacio'r drol 'ma, i gael ei throi hi am adref."

Roedden nhw wedi cael diwrnod llwyddiannus yn y farchnad er gwaetha'r cwbl. Roedd bron y cyfan o'r llestri pridd wedi'u gwerthu ac roedd gan Cadell god dda o geiniogau ynghudd dan ei glogyn. Roedd o hefyd wedi llwyddo i brynu chwe chostrel o'r gwin gorau o Ffrainc i Cuhelyn, gan fod cyflenwad y pennaeth yn isel oherwydd y wledd briodas.

Roedd ganddo hefyd lu o nwyddau a dderbyniodd yn gyfnewid am rai llestri – pethau fyddai'n ddefnyddiol iddo fo a thrigolion Dinas Dinorwig. Edrychodd yn frysiog arnynt wrth eu rhoi mewn sach yng nghefn y drol. Roedd yno ddagr fechan gyda charn addurniedig, cadwyn haearn ddefnyddiol ac offer ceffylau, cwpan arian, a dau dlws efydd wedi'u haddurno â phatrwm troellog. Gafaelodd yn y ddau dlws a'u rhoi i Mael. "Hwde, cymer rhain. A chadw nhw'n saff efo'r geiniog arian 'na!"

"Wir?" Cododd calon Mael ar unwaith. Roedd ganddo rywbeth i'w roi yn anrheg i Lia wedi'r cyfan. Byddai Cadell ac yntau'n arfer galw yng nghartre'r teulu ar y ffordd adre o'r farchnad, i gael tamed o swper cyn cychwyn ar eu taith. Dyna pryd roedd o wedi bwriadu rhoi'r gath fach iddi – ond roedd y tlws yma'n well fyth. Ac yn fwy na hynny, roedd ganddo un yn sbâr i'w roi i'w chwaer fach hefyd.

Oedd, ar y cyfan, roedd wedi bod yn ddiwrnod llwyddiannus iawn!

"Do, mi neidiais i dros ochr y cei i un o'r cychod . . ."

"Na!"

". . . a rhedeg ar eu hyd nhw wedyn o un i'r llall. Fedra neb 'y nal i!" meddai Cai a'i lygaid yn dawnsio. Roedd o wrth ei fodd yn adrodd sut roedd wedi dianc o afael pawb.

"'Nes inna helpu hefyd cofia!" prepiodd Lia. Doedd hi ddim eisiau bod allan ohoni. "Mi fasa un o'r milwyr wedi dy ddal di oni bai amdana i!"

"Be wnest ti felly?" holodd Mael yn llawn cyffro.

"Troi basged o bysgod o'i flaen o, siŵr! Mi lithrodd a syrthio fel lledan!"

Chwarddodd y tri, gan sglaffio'r pryd o bysgod a bara ffres oedd o'u blaenau fel 'taen nhw heb fwyta ers dyddiau lawer.

Roedden nhw'n eistedd allan yn haul cynnes diwedd y pnawn, ac anturiaethau'r dydd yn llenwi'u meddyliau.

"Ond ti ydi'r arwr mwya, 'rhen fêt!" meddai Cai, gan roi pwniad i Mael. "Mae pawb yn siarad am y peth. Ydi o'n wir bod y Llywodraethwr wedi rhoi ceiniog arian i ti?"

"Bob gair!" atebodd Mael gan durio yn y god

fach ledr a hongiai ar y gwregys am ei ganol.
". . . a dyma hi!"

"Waw!" meddai Lia a Cai yn ddeuawd, ac ychwanegodd Lia, "Rwyt ti mor lwcus, Mael. Mae'r geiniog yna'n siŵr o ddod â lwc dda i ti!"

Wedi iddyn nhw orffen bwyta, roedd Cai yn daer eisiau i Mael chwarae ymladd efo fo. Yn fab i filwr Rhufeinig, roedd o newydd ddechrau cael gwersi trin cleddyfau yn y gaer, gyda meibion milwyr eraill. Roedd o am fod yn filwr ei hun ryw ddiwrnod, ac yn awyddus i ddangos ei sgiliau newydd i Mael.

Tra rhedodd Cai i chwilio am ei gleddyfau pren, cafodd Mael gyfle i roi ei anrheg i Lia o'r diwedd.

"O, mae hi'n fendigedig!"

Roedd yn drueni fod y gath fach bren, y

cymerodd ddyddiau i'w cherfio, wedi mynd. Ond roedd yn rhaid cyfaddef bod y tlws yma, a sgleiniai fel yr haul, yn un arbennig iawn.

"Mi fydda i'n meddwl amdanat ti bob tro y bydda i'n ei gwisgo hi!"

Ar hynny, glaniodd cleddyf pren wrth draed Mael.

"Tyrd yn dy flaen. 'Sgen ti ddim gobaith yn erbyn milwr go iawn yli . . ."

Gydag ymweliad y Llywodraethwr, roedd llawer o fynd a dod yn y gaer. A chan y byddai Marcellus yn hwyr iawn yn dod adre oherwydd hynny, roedd Gwawr yn falch o gael cwmni Cadell a Mael.

Doedd y tŷ ddim yn fawr, ond o'i gymharu â thai crwn Dinas Dinorwig, roedd fel plas. Ar ben hynny, roedd cyflog Canwriad yn golygu y gallai Gwawr gyflogi merch ifanc o'r dre i weithio iddi – ac roedd hynny'n foethusrwydd go iawn!

Ond y fryngaer a'i chasgliad o gytiau crwn oedd yn galw'r ddau deithiwr adref. Roedd hi'n noson olau, gynnes fel yr arweiniai Cadell y ferlen a'r drol o gysgod y tŷ. Roedd y llwybr yn arwain fel edau arian o'u blaenau. Fe fydden nhw'n siŵr o gyrraedd Dinas Dinorwig cyn iddi nosi.

"Hei, gwylia!" gwaeddodd Mael o gefn y drol, wrth iddyn nhw fynd dros garreg anarferol o fawr ar y ffordd. Gwyrodd y drol yn sydyn i un ochr. Neidiodd Mael i gydio yn y llestri gwin rhag iddyn nhw droi.

"O, na! Dwi'm yn credu hyn!" gwaeddodd Cadell gan dynnu'n chwyrn ar yr awenau.

Roedd olwyn y drol wedi torri!

5

Doedd wiw iddyn nhw adael trol a honno'n llawn o nwyddau ar ochr y ffordd dros nos. Byddai'r cyfan wedi diflannu ymhell cyn y bore! Ac fe wyddai Cadell ddigon am grefftwyr y dref i wybod mai cau'u gweithdai am y nos fydden nhw erbyn hyn. Fydden nhw ddim yn diolch i un o bobl y bryniau am fynnu gwasanaeth yr adeg hynny o'r dydd. Heb sôn am yr arian ychwanegol y byddai'n rhaid iddo'i dalu am drwsio'r drol.

Doedd dim amdani felly ond curo ar ddrws Gwawr unwaith yn rhagor – a gobeithio am le i roi'u pen i lawr tan y bore.

"Wel, wrth gwrs y cewch chi. Dyna i beth mae teulu'n dda, yntê!"

Wedi cario'r costreli gwin, y llestri pridd oedd ar ôl a gweddill cynnwys y drol i ddiogelwch cefn y tŷ, roedd Mael a Cadell wedi blino'n lân.

"Cwrw cry' Caer Saint sydd ei angen arnoch chi'ch dau," ebe Gwawr yn hwyliog, gan anfon y forwyn fach i nôl stên o'r hylif melyn blasus o dafarn Yr Eryrod i lawr yr allt. Doedd dim gwell i dorri syched wedi gwaith caled.

"Iechyd!"

"Ia wir!"

Y bore wedyn, wnaeth Cadell wastraffu dim amser cyn mynd i chwilio am grefftwr i drwsio'r drol.

Roedd Mael eisoes yn edrych ymlaen at fynd i chwarae yn y gaer gyda Lia a Cai. Er ei fod wedi pasio heibio iddi sawl gwaith, doedd o erioed wedi bod i mewn ynddi.

"Hei, cofia di nad wyt ti'n crwydro drwy'r dydd! Mi fydda i angen dy help di i lwytho'r drol," gwaeddodd Cadell ar eu hôl. Roedd yntau hefyd yn edrych ymlaen at gicio'i sodlau o gwmpas y dre tra byddai'r olwyn yn cael ei thrwsio.

Cerddodd Cai a Lia yn dalog at brif borth Segontium, â Mael yn cerdded rhyw gam neu ddau ar eu holau. Roedden nhw wedi hen arfer mynd a dod i'r gaer, a'r gwyliwr wrth y porth yn eu hadnabod.

"Pa ddrygau ydach chi'ch dau am eu gwneud heddiw?" holodd hwnnw gan chwerthin.

"Dim byd, mynd i helpu Otto ydan ni!" atebodd Cai yn syth.

"O, wela i. 'Dach chi ddim am weld y sioe, felly?"

"Pa sioe?"

"Wel y gatrawd yn dangos ei doniau i'r Llywodraethwr, siŵr iawn!"

"Y . . . na ddim bora 'ma," atebodd Cai, gan feddwl y bydden nhw'n siŵr o gael cyfle i sbecian yn nes ymlaen.

Roedd Mael yn edrych o'i gwmpas mewn rhyfeddod ar yr holl adeiladau. Mi fyddwn i'n mynd ar goll yma 'mhen dim, meddyliodd wrtho'i hun. Ond roedd Cai a Lia yn gwbl gartrefol yno. Roedd hynny'n syndod i Mael, er na ddylai fod mewn gwirionedd. Er eu bod nhw'n siarad iaith pobl y bryniau fel yntau, Caius a Julia oedd eu henwau go iawn. Enwau Lladin, fel oedd yn gweddu i blant milwr Rhufeinig. Roedd yn wir nad o'r Eidal yr hannai Marcellus – gŵr o fynyddoedd gwyllt Germania oedd o. Ond wedi i'w lwyth gael eu concro gan y Rhufeiniaid, fe ymunodd ef â'r fyddin, ac roedd yn falch o arddel enwau Lladin iddo ef a'i deulu.

"Dacw fo, Otto!" gwaeddodd Lia'n hapus gan ddechrau rhedeg. Roedd Otto'n ffefryn gyda'r plant am ei fod yn dweud straeon cyffrous am wledydd pell wrthyn nhw. Pan ddaethant ato, gwelodd Mael ddyn byr o gorff, gydag wyneb rhychiog a chraith hir ar draws ei foch chwith.

"A phwy ydi hwn sy efo chi . . . mmm . . . ?"

Eglurodd Lia hanes y drol ac fel roedd Mael a Cadell wedi methu teithio adre i Ddinas Dinorwig y noson cynt.

"A! Un o bobl y bryniau ydi o, felly," meddai, gan wenu'n llydan ar Mael. "Un o'r fan honno ydw inna wyddost ti, ond bod fy nghartre i dipyn pellach na d'un di, fachgen!"

Roedd Otto hefyd wedi gwasanaethu yn y fyddin. Ond wedi un sgarmes galed a'i gadawodd yn gloff, a'r graith fawr ar ei wyneb, fedrai o ddim parhau i fod yn filwr. Er hynny, roedd wedi aros yn y gaer gan helpu gyda phob math o waith – trin y tir a glanhau'r adeiladau, ymhlith pethau eraill. Torri coed tân roedd o heddiw, ac roedd ganddo bentyrrau o'i gwmpas yn barod.

"Dyna chi. Bendith arnoch chi'n helpu hen ŵr cloff," meddai. Dechreuodd y plant godi llond eu breichiau o'r coed, ac aeth yntau ymlaen i dorri, gan siarad yn yr pryd:

"Twt! Wn i ddim be sy ar y Rhufeiniaid tendar

'ma wir! Pa eisiau tân sy heddiw? Ond na, mae'r Llywodraethwr . . ." Crychodd ei drwyn cyn mynd ymlaen, "yn rhynllyd ar ôl tywydd braf de Ffrainc, ac mae'n rhaid cael tân o dan ei stafell o, neu mi fydd yn crynu. Llywodraethwr, wir – hy!"

Petai o wedi byw yn fforestydd tywyll y gogledd-dir, wedi'u parlysu gan rew ac eira am hanner y flwyddyn, fel roedd Otto wedi'i wneud, yna byddai'n gwybod beth oedd oerfel!

"Ffwrdd â chi, reit sydyn, neu mi fyddwn ni yma drwy'r dydd."

Gwyddai Cai yn union ble i fynd, ac arweiniodd y lleill at y ffwrnais ger prif adeilad y pencadlys.

Roedd Mael wedi'i synnu. Creu gwres o dan y llawr. Beth nesaf? Roedd y gaer hon yn llawn o ryfeddodau.

"Faint o goed sydd eu hangen?" holodd yn llawn diddordeb.

"Llond gwlad, 'sti," atebodd Cai. "Mae'r ffwrnais yn llyncu coed fel anghenfil!"

Roedd cerdded yn ôl ac ymlaen yn cario'r coed wedi'u cadw'n ddiddig am beth amser, ond pan ddechreuodd yr utgyrn seinio, a charnau ceffylau daranu hyd ffyrdd unionsyth y gaer, roedden nhw eisiau mynd i fusnesa.

Taflodd Otto ei fwyell i lawr. "Dewch. Rydw inna wedi blino. Rydan ni'n haeddu seibiant bach i weld y sioe."

Roedd milwyr Segontium yn rhoi arddangosfa arbennig heddiw. Roedden nhw'n awyddus i'r Llywodraethwr ddeall fod y Gaer ar lan y Saint yn un o'r rhai gorau yn y wlad i gyd. Perffeithrwydd milwrol oedd y bwriad. Roedd pob arfwisg yn sgleinio fel yr haul, a phob cleddyf a gwaywffon wedi'u hogi'n finiog.

Roedd Cai ac Otto wedi'u llygad-dynnu gan y gwŷr meirch yn dangos eu doniau a'r milwyr yn gorymdeitho. Ond wedi'r digwyddiad wrth y cei, doedd Mael ddim mor awyddus i wylio. Roedd o'n falch felly pan awgrymodd Lia fynd i'r gegin i chwilio am ddiod. "Mi ddo i efo chdi!" meddai ar unwaith, ac i ffwrdd â nhw.

Roedd y gegin yn llawn prysurdeb – gweision a chogyddion yn gwau drwy'i gilydd, ac arogl bendigedig yno. Gwyddai Lia yn union ble i fynd i nôl dau gwpanaid o ddŵr iddyn nhw. A dyma un o'r gweision, oedd yn amlwg yn ei hadnabod, yn galw ar y ddau ato, a rhoi cacen fêl bob un iddynt. Roedden nhw'n sglaffio'r cacennau wrth gerdded yn eu holau.

Yn sydyn, dyma sŵn cicio a rhuo'n tynnu sylw Mael, a stopiodd fwyta ar ei union. "Glywi di hyn'na?" gofynnodd i Lia.

"O, y stabla sy'n fan'cw," atebodd hithau. "Trafferth efo rhyw geffyl mae'n siŵr. Ty'd. Awn ni'n ôl i weld ydi'r ffug-frwydr wedi dechra eto!"

Dechreuodd Lia gerdded, ond roedd Mael eisiau gweld beth oedd yn y stablau. Cofiodd ei fod wedi clywed sŵn tebyg o'r blaen. Agorodd y drws yn araf . . .

6

Yn y stabl, wedi'i glymu'n dynn wrth raff, roedd anifail. Dyma'r anifail a dynnodd sylw Mael gyda'i gicio a'i strancio gwyllt. Nawr, roedd un o weision y gaer yn ei guro â ffon. Nid unrhyw anifail chwaith, ond llo gwyn!

Roedd Mael wedi gweld digon. Rhedodd ar ôl Lia. "Llo Dinas Dinorwig ydi o, yn fan'na! Fedra i ddim credu'r peth!" sibrydodd. "Mae'n rhaid i mi fynd i chwilio am Cadell . . . rŵan!"

"Mael!" ebe Lia, "Be sy'n bod arnat ti? Dwyt ti'n gwneud dim synnwyr o gwbwl!"

"Ond dwyt ti ddim yn deall," atebodd yntau mewn penbleth. "Fe anwyd llo gwyn yn y pentre rai wythnosau'n ôl. Roedd pawb wrth eu bodd – y duwiau'n gwenu ar y llwyth. Ond mi gafodd o 'i ddwyn. Roedd o newydd ddiflannu pan oedd Cadell

a fi'n cychwyn i lawr yma . . . Ond be ar y ddaear mae o'n wneud yn fan hyn?"

"Twt! Paid â rwdlian," meddai Lia, gan daflu golwg yn ôl at y stablau. "Os oes llo yna, wel . . . un arall ydi o siŵr iawn."

"Na, ein llo ni ydi o, yn bendant."

"Sut gwyddost ti?"

"Am nad ydi lloi gwyn ddim yn tyfu ar goed. Maen nhw'n brin . . . ac yn werthfawr!"

"Ac mae 'na wartheg yn eiddo i'r gaer, llu ohonyn nhw. Dwi'n gwbod, a dwi wedi bod yn godro efo Otto, iawn?"

"Welais ti lo gwyn gan un ohonyn nhw 'ta?"

"Y . . . naddo . . ." atebodd Lia'n ddryslyd. "Ond i beth fyddai neb yn fan hyn eisiau dwyn llo o dy bentre di?"

"Dyna mae'n rhaid i mi'i ddarganfod!"

Ymateb digon tebyg gafodd Mael gan Cai pan aethant yn ôl ato ef ac Otto. Yn un peth, roedd arddangosfa'r milwyr wedi dod i ben, a'r Llywodraethwr yn cerdded o gwmpas y maes ymarfer yn sgwrsio ag aelodau o'r Gatrawd – a Marcellus yn eu plith. Roedd Cai'n edrych ymlaen at gael ymarfer cleddyfau, er mwyn i'r Llywodraethwr gael gweld ei ddoniau. Doedd o ddim eisiau clywed am ryw lo rhyfeddol oedd yn llenwi meddwl Mael.

Felly trodd hwnnw at Otto i geisio atebion. Mae o'n gweithio yma bob dydd, ac yn gwybod bob dim sy'n mynd ymlaen, dybiwn i, meddai Mael wrtho'i hun.

"Otto, ga i ofyn cwestiwn i chi?"

"Ia, fachgen?"

Gwrandawodd Otto'n astud ar Mael, a meddwl yn hir cyn ateb. "Un peth ddysgais i dros y blynyddoedd, fachgen – busnes y milwyr ydi busnes y milwyr." A dyna'r oll ddywedodd o. Dim ond hyn'na.

Ond fy musnes i ydi hyn, meddyliodd Mael, ac mae'n rhaid i mi fynd i'w wraidd o! A Cadell wrth gwrs. Fedrai o ddim aros i ddweud wrth Cadell am ei ddarganfyddiad. Ond byddai'n rhaid iddo berswadio Lia a Cai i'w helpu hefyd os oedd o am achub y llo o ddwylo'r milwyr.

Wrth iddyn nhw'u tri gerdded yn ôl at gartref y plant, stopiodd Mael yn sydyn ac meddai, "Wn i ddim pam ydw i'n ffrindia efo chi'ch dau, wir. Mae ffrindia i fod i helpu'i gilydd! Ydach chi'ch dau wedi anghofio'ch bod chi'n perthyn i bobol y bryniau, 'ta be?"

46

"Faint o weithia sydd raid i ni ddeud wrthat ti, Mael," meddai Cai yn chwyrn. "Nid llo Dinas Dinorwig ydi hwn'na. Eiddo'r milwyr ydi o!"

"Sut gwyddost ti?" gofynnodd Mael ar unwaith.

"Wel, dw i *yn* gwbod, dyna'r cwbwl!" meddai Cai a rhyw olwg fel petai'n cuddio rhywbeth arno.

Edrychodd Mael a Lia ar ei gilydd mewn syndod gan ddweud fel un, "Gwbod be?"

Roedd Cai wedi gwylltio. "Dim byd!"

Cipiodd Mael y cleddyf pren o law Cai, a'i ddal o'i flaen yn heriol. "Gwbod be?"

"Yli, wedi clywed Tada a'r milwyr eraill yn siarad ydw i. Pan fyddan nhw'n dod acw i'r tŷ. Maen nhw'n meddwl 'mod i'n cysgu, ond mi fydda i'n gwrando ar sgwrs y milwyr." Dechreuodd Cai sibrwd, "Mae ganddyn nhw gymdeithas gudd," meddai, "ac maen nhw'n addoli duw dirgel. Dim ond y milwyr sy'n gwbod amdano fo!"

Roedd Mael a Lia'n gwrando'n astud, a Cai yn awr yn mwynhau ymddangos yn bwysig am ei fod yn gwybod cyfrinachau na wyddai'r lleill ddim amdanynt. Roedd o'n dal i sibrwd, "Mi glywais i nhw'n sôn am aberthu llo gwyn, pan fydd hi'n lleuad lawn. Mae'n un o'u defodau nhw," meddai, gan yrru ias i lawr cefn y ddau arall.

"Mae'r llo mor wyllt â baedd, meddan nhw, ond gorau oll am hynny; mi fydd y duw wrth ei fodd efo'r aberth. Ond dydi hynny'n ddim byd i'w wneud efo Dinas Dinorwig," meddai'n chwyrn wrth Mael, "felly paid â malu awyr!"

Roedd meddwl Mael yn gweithio'n chwim. Pryd fyddai hi'n leuad lawn? Byddai Cadell yn siŵr o wybod. Byddai'n rhaid iddyn nhw achub y llo cyn hynny.

"Mi brofa i i ti mai llo Dinas Dinorwig ydi o," meddai Mael. "Mi wn i am rywun fedar wneud iddo fwyta o'i law!"

"Hy!"

"Mi gei di weld. Wnei di fy helpu i wedyn?"

Cipiodd Cai y cleddyf yn ôl o law ei ffrind ac i ffwrdd â fo ar ras.

Roedd un peth yn sicr. Gyda help ei ffrindiau, neu hebddo, roedd yn rhaid i Mael wneud rhywbeth, a hynny ar frys.

Cydiodd Lia yn ei fraich ac meddai, "Paid â phoeni, mi wnawn ni'n dau dy helpu di. Mi wna i'n siŵr o hynny!"

Roedd yna ryw gyffro yn yr awel wrth iddyn nhw ddringo'r llwybr serth yn ôl i Ddinas Dinorwig. Fe wyddai Mael a Cadell cyn iddyn nhw gamu drwy'r porth bod rhywbeth ar droed.

Er ei bod hi'n araf nosi, roedd Cuhelyn y pennaeth yn cerdded o gwmpas yn taranu gorchmynion i'w ryfelwyr.

Gwelodd Arawn y drol yn dod o bell, a rhedeg i'w cyfarch.

"Be sy'n digwydd?" holodd Cadell, gan edrych o'i gwmpas ar y bwrlwm.

"Cyrch ar Ddin Lleu!" atebodd Arawn yn llawn cyffro. "Mae pawb yn gytûn mai Broch a'i wŷr mileinig aeth â'r llo!" Eglurodd bod rhyfelwyr Tre'r Ceiri eisoes wedi dychwelyd adre, ac y bydden nhw'n ymuno yn y cyrch – ymosodiad o'r ddwy ochr. Unwaith y bydden nhw wedi sicrhau dychweliad y llo, fe losgid Din Lleu i'r llawr.

Edrychodd Cadell a Mael ar ei gilydd. Pan redodd y bachgen ato gyda'r newyddion ei fod wedi gweld y llo gwyn yn gaeth yng nghaer y Rhufeiniaid, roedd Cadell wedi'i chael yn anodd credu hynny. Wedi'r cyfan, roedd yn llawer mwy tebygol o fod yn gyd-ddigwyddiad. Ond, gyda lloi claerwyn yn greaduriaid mor brin, ac wrth gofio sut y bu iddo ddiflannu mor sydyn heb i neb weld na chlywed dim, daeth i sylweddoli'n fuan iawn y gallai Mael fod yn llygad ei le. Efallai'n wir bod ôl yr Eryrod ar y lladrad. Os felly, roedd y rhyfelwyr yn bwriadu ymosod ar y lle anghywir yn hollol.

"Tyrd hefo ni," meddai wrth Arawn. "Mae'n rhaid i ni siarad efo Cuhelyn ar unwaith!"

7

Cyn diwedd y bore canlynol, roedd tri cheffyl chwim yn trotian drwy brif borth Dinas Dinorwig. Ar eu cefnau roedd Cadell, Mael ac Arawn, a holl obeithion y llwyth gyda nhw.

Yn rhyfedd iawn, ac yn groes i farn sawl un o'r rhyfelwyr, roedd Cuhelyn, dan anogaeth Dyfnwal y derwydd, wedi cytuno i roi heibio'r cyrch ar Ddin Lleu, a negesydd wedi teithio i Dre'r Ceiri drwy'r oriau mân i gyhoeddi hynny.

"Ond mae hyn yn wallgofrwydd!" oedd geiriau Einion y pen-rhyfelwr. "Sut allwn ni ymddiried y fath dasg i blant? Mae hyn yn waith i ryfelwyr profiadol!"

"A sut, meddet ti, mae rhyfelwyr profiadol am fynd i mewn i gaer yr Eryrod heb dynnu sylw?" gofynnodd Dyfnwal y derwydd.

"Ond . . ."

"Gad i mi orffen, Einion. Fe all y plant gael mynediad yno heb greu unrhyw gyffro, a'n harwain ni at y llo. Rydw i'n gweld ôl llaw y duwiau yn y mater hwn!"

51

"Hy!" ebychodd Einion yn ddiamynedd. Roedd Dyfnwal yn gweld ôl llaw y duwiau ym mhob peth, gwaetha'r modd. Ac yn dylanwadu gormod ar Cuhelyn hefyd.

Ond, fel y gwyddai pennaeth Dinas Dinorwig, roedd Dyfnwal wedi teithio hyd a lled Ynysoedd Prydain, ac yn gwybod mwy am y byd a'i bethau na neb arall yn y pentref. Cyn gynted ag y clywodd Mael yn sôn am "dduw dirgel" a bwriad y Rhufeiniaid i aberthu'r llo gwyn, roedd wedi sibrwd un frawddeg yn unig: "Mithras. Y duw o'r dwyrain!" Ac roedd wedi dweud digon wrth Cuhelyn i'w berswadio i ddilyn awgrym Mael.

Roedd Einion yn dal i deimlo'n anniddig, ond roedd yn dawelach ei feddwl pan ddatgelodd Cuhelyn wrtho ei fod yn bwriadu gyrru ugain o ddewrion i'w dilyn i Gaer Saint. Einion fyddai'n eu harwain, ac eglurodd y pennaeth yr union gynlluniau wrtho.

Wedi carlamu am gyfran helaeth o'r daith, oedodd y tri theithiwr ar lan yr afon. Roedd yn gyfle iddyn nhw a'u ceffylau dorri syched, a mynd dros eu trefniadau unwaith yn rhagor, er mwyn Arawn.

Cydiodd Mael mewn darn o bren, ac yn y mwd
meddal ar lan y dŵr, gwnaeth siâp hirsgwar.

"Rydan ni'n cwrdd â Lia ar gyrion y dre,"
meddai wrth Arawn. Rhoddodd ddwy garreg yng
nghanol y cynllun. "Dyma hi'r gaer – a dyna'r
stablau. Unwaith y byddwn ni wedi mynd drwy'r
prif borth efo Cai a Lia, mi awn ni'n syth i fan hyn.
Wedi i ti dawelu'r llo, mi allwn ni ei arwain allan
ffordd yma – mi wnes i sylwi bod porth arall fan
hyn," meddai gan bwyntio at ochr bellaf y gaer.

"Os gwnawn ni bob peth yn hamddenol, fydd neb yn amau dim. Mi fyddan nhw'n meddwl mai arwain y llo i'r caeau ydan ni. Iawn?"

"Iawn," meddai Cadell ac Arawn gyda'i gilydd, ond rywsut roedd y crochennydd yn amau na fyddai'r fenter mor syml ag yr awgrymai Mael. Wedi'r cyfan, i gaer y Rhufeiniaid roedden nhw'n mynd, a milwyr yn berwi o gwmpas y lle ym mhobman.

"Wyt ti'n siŵr bod hyn yn mynd i weithio, Mael?" holodd Arawn yn bryderus.

"Wyt ti eisiau achub y llo, 'ta be?"

"Wrth gwrs fy mod i!"

"Wel, rhaid i ni wneud ein gorau felly!"

Cerdded linc-di-lonc roedd y ceffylau pan ddaethon nhw o'r diwedd i olwg Caer y Rhufeiniaid. Roedd Lia'n aros amdanyn nhw yng nghysgod coeden, a Cai, a golwg anesmwyth arno, yn eistedd ar lawr wrth ei bôn.

"O!" Rhoddodd Mael ochenaid o ryddhad. "Ro'n i'n ofni na fasach chi ddim yma!"

"Mi wnes i addo'n do," atebodd Lia.

"Do, wn i, ond mi allai unrhyw beth fod wedi digwydd ers hynny." Cyflwynodd Arawn i'w ddau ffrind o'r dre, ac meddai, "Hwn ydi'r hogyn sy'n

mynd i brofi unwaith ac am byth mai llo gwyn
Dinas Dinorwig sy yn y gaer 'na."

Ia, gobeithio, meddai Cadell wrtho'i hun, gan
edrych dros ei ysgwydd tua'r bryniau. Ble roedd y
dewrion erbyn hyn, tybed?

Yna cododd Cai ar ei draed, ac meddai wrthynt,
"Ma' petha' wedi newid. Dydi'r llo ddim yn y
stablau erbyn hyn. Mae o wedi cael ei symud!"

8

Roedd y wybodaeth bod y llo wedi'i symud o'r stablau yn newyddion da ac yn newyddion drwg i'r criw. Yn newyddion da am ei fod wedi'i symud allan o ffiniau'r gaer ei hun, ond yn newyddion drwg am ei fod wedi'i symud i deml y milwyr – teml roedd ei lleoliad yn gyfrinach i bawb ond yr addolwyr eu hunain.

"Mae gynnon ni broblem, felly," meddai Cadell yn bryderus.

"Na, dim o gwbwl," atebodd Lia. "Mi all Cai arwain y ffordd, mae o'n gwbod ble i fynd."

"Wir?" edrychodd y tri ar Cai.

"Ydw. Ffordd hyn." Pwyntiodd ar hyd ochr wal y gaer i gyfeiriad y coed y tu cefn iddi. "Yn y dyffryn acw, mae 'na ddrysau yn y graig. Fan'no mae o."

Eglurodd Cai y byddai'r deml ar agor yr adeg honno o'r dydd gan y byddai'r addolwyr yn dod ynghyd yno ymhen rhyw awr. Byddai'r gweision wedi bod yn paratoi'r deml ar eu cyfer, a chynnau canhwyllau. Roedd ganddyn nhw ddigon o amser felly i lithro i mewn yn ddistaw bach er mwyn i

Arawn gael gweld ai'r llo y bu'n gofalu mor dyner amdano yn Ninas Dinorwig oedd yn gaeth yno, ai peidio.

Fedrai Mael ddim llai na meddwl y byddai Cai'n falch pe bydden nhw'n canfod fel arall. Oedd, roedd o wedi cytuno i'w helpu nhw, ond roedd Mael yn sicr bod Lia wedi gorfod rhoi pwysau ar ei brawd. Mab y Canwriad oedd o, wedi'r cyfan, ac yn bwriadu mynd yn filwr ei hun. Allai o ddim bod yn hapus i ddatgelu cyfrinachau'r milwyr.

"Ewch chi yn eich blaenau," meddai Cadell wrthynt, gan gydio yn awenau'r tri cheffyl. "Mi af i â'r rhain i aros yng nghysgod y coed!" Gwyliodd y plant yn mynd gydag ochr y gaer am ychydig, cyn rhoi naid ar gefn ei geffyl ac arwain y ddau arall i gyfeiriad coed trwchus ychydig i'r dwyrain.

Dechrau nosi roedd hi, a'r lleuad lawn yn dal yn welw yn yr awyr. Er hynny roedd tylluan yn hwtian gerllaw. Gwenodd Cadell. Roedd o wedi clywed y chwibaniad yna o'r blaen. Gwyddai bellach fod dewrion Dinas Dinorwig yn agos.

Wedi iddyn nhw ddod i olwg y dyffryn coediog lle roedd y deml, curai calon Mael fel drwm a chrynai gan ofn. Dim ond porth bychan, a tho crib arno, oedd yn dangos lleoliad yr adeilad.

"Dwi ddim yn hoffi'r syniad o fynd i mewn i fan'na o gwbwl," sibrydodd Arawn wrth Mael. "Be tasa'r duw dieithr yma'n ein melltithio ni?"

"Shh!" Rhoddodd Cai arwydd iddyn nhw aros lle'r oedd perthi'n eu cuddio, a lle medren nhw weld y drysau'n glir.

"Mi awn ni'n dau i mewn," meddai wrth Arawn, "ac fe gewch chi'ch dau aros i wylio y tu allan, iawn? Unrhyw symudiad, a rhowch sgrech i roi gwybod i ni!"

"Iawn," atebodd Mael, gan ddiolch ei fod ef a Lia'n cael aros y tu allan.

"Fyddwn ni fawr o dro," meddai Cai. Anadlodd Arawn yn ddwfn, a'i ddilyn o gysgod y perthi. Yna gwthiodd Cai un o ddrysau trwm y deml yn agored, ac i mewn â nhw.

Roedd camu i mewn i deml Mithras yn gymaint o syndod i Cai ag roedd i Arawn. Doedd yntau chwaith ddim wedi bod dros y trothwy o'r blaen, a phe bai'r milwyr yn gwybod ei fod yno'n awr, ac wedi bod yn gwrando ar eu sgyrsiau a'u cyfrinachau, byddai'n ddrwg iawn arno.

Roedd y deml yn un danddaearol, yn rhannol,

gan iddi gael ei chloddio i mewn i'r graig. Roedd canhwyllau'n olau ym mhobman, llu ohonyn nhw mewn canwyllbrennau haearn.

Fe arhosodd y ddau am eiliad i edrych o'u cwmpas a rhyfeddu at yr adeilad na wyddai neb ond y milwyr amdano. Roedd llwybr yn y canol, gyda rhes o golofnau y naill ochr iddo a seddi carreg i'r addolwyr. Mae o'n lle mor fach, meddyliodd Arawn, i gaer mor fawr. Rhaid mai ychydig iawn o'r milwyr oedd yn ddilynwyr i'r duw dieithr hwn.

Roedd allor yn y pen pellaf, a rhywbeth yn llosgi arni, gan greu arogl rhyfedd drwy'r deml gyfan. Ac yno, wedi'i glymu'n dynn wrth golofn ger yr allor, roedd y llo gwyn.

Rhoddodd Cai bwniad i Arawn. "Dacw fo!" sibrydodd yn gyffrous.

Cyn gynted ag y clywodd yr anifail y llais, dechreuodd gynhyrfu. Rhuodd, gan ysgwyd ei ben o'r naill ochr i'r llall i geisio rhyddhau ei hun o'r rhaff.

"Gwyllt fel baedd," sibrydodd Cai. "Mi ddywedais i hynny wrth Mael, ond wnâi o ddim gwrando!"

Doedd Arawn ddim yn gwrando arno chwaith. Roedd y llo o liw'r lleuad, trysor Dinas Dinorwig, yn llenwi'i lygaid. Cerddodd yn araf tuag ato, gan siarad yn isel:

"Dyna ti'r un bach. Fi sy 'ma. Arawn. Ti'n cofio?" Pan glywodd y llo lais y bachgen fu'n edrych ar ei ôl, tawelodd ar unwaith. Rhedodd Arawn ei law dros ei ben a'i gefn. "Dyna ti, mi fyddi di'n iawn rŵan," sibrydodd gan ddatod y rhaff.

Roedd Cai wedi synnu. Sut ar y ddaear allai Arawn dawelu anifail mor wyllt? Rhaid bod Mael yn iawn wedi'r cyfan.

"Tyrd," ebe Arawn, gan arwain y llo. "Rydan ni'n mynd adre."

Yr eiliad honno, dyma sgrech anferth o'r tu allan. Llais Lia oedd yno, ac roedd hi a Mael wedi dychryn am eu bywydau. Roedd popeth wedi bod yn dawel a digynnwrf y tu allan, ond yn hollol sydyn a dirybudd daeth ffaglau tân i'r golwg, a haid o bobl yn gorymdeithio hyd y llwybr cul a arweiniai o'r gaer i'r deml. Roedd y ddau wedi'u syfrdanu ormod i wneud dim am eiliad neu ddau. Yng ngolau'r ffaglau, fe allen nhw weld bod y gorymdeithwyr yn gwisgo clogynnau hir, a rhai gyda masgiau rhyfedd yn cuddio'u hwynebau. Un fel llew, un fel aderyn . . . ac un yn cario cyllell hir.

"Hhhh!" Tynnodd Mael ei anadl yn sydyn. Y milwr pwysig roddodd y darn arian iddo oedd yr un â'r gyllell. Roedden nhw'n mynd i aberthu'r llo!

Yn sydyn, sgrechiodd Lia yn uchel. Fedrai hi wneud dim byd arall. Roedd yn rhaid iddi rybuddio'r bechgyn.

Clywodd Cai ac Arawn y sgrech ac edrych ar ei gilydd mewn penbleth. "Mae rhywun yn dod," sibrydodd Cai, "rhaid i ni guddio." Llithrodd y tu ôl i un o'r colofnau lle nad oedd golau'r canhwyllau'n taro. "Tyrd, brysia, gollwng hwn'na!"

Ond doedd Arawn ddim yn bwriadu gollwng y llo gwyn. Roedd wedi dod yma i'w achub, a dyna a wnâi, doed a ddêl. Neidiodd ar gefn y llo a rhuthrodd y ddau allan o'r deml ar garlam. Daethant allan i wyneb y fintai o addolwyr. Stopiodd rheini'n stond – wedi'u syfrdanu gan yr olygfa o'u blaenau. Aeth rhai ar eu gliniau, a dechreuodd eraill lafarganu gweddïau. Roedd Arawn yn siŵr y bydden nhw'n ei rwystro, ond roedden nhw wedi dychryn gormod i wneud hynny.

Petai Arawn wedi edrych dros ei ysgwydd a sylwi ar y cerflun uwchben allor y deml, byddai'n gwybod pam fod addolwyr y duw dwyreiniol wedi'u syfrdanu ganddo. Oherwydd cerflun o lanc ifanc yn marchogaeth tarw ydoedd. Ac roedd Arawn ar gefn y llo gwyn yn edrych mor debyg i'w duw nhw, Mithras, yn marchogaeth y tarw chwedlonol nes i'r olygfa fynd ag anadl pob un ohonynt.

Tra safai'r fintai o addolwyr o flaen y deml mewn dryswch, llamodd dewrion Dinas Dinorwig allan o'r coed gerllaw, gan sgrechian a gweiddi nerth esgyrn eu pennau.

Dyna pryd yr aeth hi'n anhrefn llwyr, gyda'r addolwyr yn eu clogynnau hirion a'u masgiau rhyfedd yn baglu ar draws ei gilydd wrth geisio rhedeg yn ôl i ddiogelwch y gaer.

"Ewch, feibion y fall!" gwaeddodd Einion yn groch, gan daflu cerrig atynt.

Ond wnaeth y dewrion ddim eu dilyn hyd y llwybr. Byddai'r cynnwrf yn sicr o ddenu sylw milwyr y gaer, a'r peth olaf roedden nhw ei eisiau oedd cannoedd o Eryrod ar eu sodlau. Felly troi'n ôl wnaethon nhw ar eu hunion, drwy berfeddion y coed trwchus, lle roedd y plant a'r llo gwyn eisoes yn aros amdanynt.

Yna dechreuodd pawb neidio a chofleidio'i gilydd yn llawen am eiliad neu ddau cyn cychwyn adref. Roedden nhw wedi gwirioni bod y llo'n ddiogel, a phawb yn fyw ac yn iach wedi'r holl helyntion.

"Rhaid imi fynd yn ôl," meddai Lia wrth Mael. "Mi fydd Cai yn chwilio amdana i!"

"Diolch, diolch i chi'ch dau," meddai Mael. "Wna i byth anghofio hyn. Na Dinas Dinorwig chwaith. Mi fydd pobol y bryniau'n ddiolchgar am byth i chi am ein helpu ni!"

Yna, i ffwrdd â hi i'r tywyllwch. Ond gwyddai

Mael ei bod hi'n ddiogel. Plant y gaer oedd Cai a hithau, ac roedden nhw wedi hen arfer crwydro o'i chwmpas, ddydd a nos.

"Dewch, bawb, am adre!" meddai Einion wrthynt, a neidiodd pawb ar gefn eu ceffylau. Doedd dim amser i oedi. Byddai'r milwyr yn siŵr o ddod i chwilio amdanynt. Ar gyrion y goedwig, roedd un arall o'r dewrion yn aros amdanynt gyda throl. Rhoddwyd y llo gwerthfawr i deithio ynddi, ac i ffwrdd â nhw ar wib.

Byddai dathlu yn Ninas Dinorwig y noson honno. Er y byddai'n ganol nos arnynt yn cyrraedd adref, fyddai hynny'n mennu dim ar y pentrefwyr. Byddai'r medd yn llifo a'r drymiau'n curo, a Dyfnwal y derwydd yn arwain y ddefod o ddiolchgarwch i'r duwiau. Fyddai'r llo gwyn ddim yn gadael y fryngaer fyth eto. Roedd lwc dda'r llwyth wedi dychwelyd. Byddent yn gofalu amdano ac yn ei addoli fel duw.

Wrth drotian drwy'r goedwig, cydiodd Mael yn y god frethyn a wisgai ar ei wregys. Roedd un o'r tlysau efydd o'r farchnad yno o hyd. Gwenodd. Byddai Esyllt wrth ei bodd pan gyrhaeddai adref. Yna carlamodd yn ei flaen gyda'r lleill, gan edrych ymlaen at y dathlu oedd i ddod.